Nu comme un ver

Nu comme un ver

DANIEL WOOD
ADAPTATION CÉCILE GAGNON

Illustrations:
ZAVEN

Données de catalogage avant publication (Canada)

Wood, Daniel
[No clothes. Français]
   Nu comme un ver

(Collection Libellule)
Traduction de: No clothes.
Pour les jeunes.

ISBN 2-7625-4021-6

I. Zaven   II. Titre.   III. Titre: No clothes.
Français.   IV. Collection.

PS8595.062N6214 1988   jC813'.54   C88-096351-4
PS9595.)62N6214 1988
PZ23.W66To 1988

Conception graphique de la couverture : Bouvry Designer Inc.
Illustrations : Zaven

Dépôts légaux : 3e trimestre 1988
Bibliothèque nationale du Québec
Bibliothèque nationale du Canada

ISBN : 2-7625-4021-6   Imprimé au Canada

Photocomposition : DEVAL STUDIOLITHO INC.

LES ÉDITIONS HÉRITAGE INC.
300, Arran, Saint-Lambert, Québec J4R 1K5
(514) 875-0327

Aujourd'hui, Simon s'en va tout seul à la plage. Il marche jusqu'à un petit coin où personne ne va, loin des foules. Simon aime rester seul de temps en temps. Parfois, quand il va camper, lui et ses parents se baignent tout nus. Ce matin, après avoir regardé tout autour, il enlève sa culotte courte et son « ticheurte », retire ses souliers, ses chaussettes et son caleçon et dépose le tout sur un rocher. Puis, il entre dans l'eau pour se rendre jusqu'à la dune de sable où il se met à jouer. Il ne voit personne. Mais, au retour, ses vêtements ont disparu.

Il fouille chaque mètre de la plage. Mais il n'y a pas âme qui vive. Le voleur a dû se sauver. Il regarde encore. C'est curieux : non seulement ses vêtements ne sont plus là, mais une partie de la plage a disparu. Il tente de retrouver le rocher où il a déposé ses vêtements. Il a disparu aussi. Plus de rocher, plus de plage, plus de vêtements !

Durant près d'une heure, il cherche partout. Il regarde derrière des troncs d'arbre, dans le sable, dans les bosquets. Tout à coup, il aperçoit deux personnes qui viennent vers lui. Il retourne vite dans l'eau, s'assoit et fait semblant de jouer en sifflotant. Fu, fu, fu.

Il aimerait bien pouvoir leur demander si elles ont vu sa culotte. Ou au moins son caleçon. Mais il se contente de siffloter, car il n'ose pas aborder les gens qui poursuivent leur chemin sans s'arrêter. Simon se sent seul et misérable.

Soudain, Simon comprend pourquoi ses vêtements, le rocher et une partie de la plage ne sont plus là. Ce n'est pas un voleur qui est en cause. C'est la marée. Oui, c'est elle la vraie coupable.

Alors, il se met à chercher dans l'eau, espérant que les vagues ramènent ses vêtements sur le rivage. Mais les vagues ne ramènent rien. Rien du tout.

« Comment vais-je rentrer à la maison? se demande Simon. Je pourrais attendre la nuit, mais la noirceur ne viendra pas avant plusieurs heures. Mes pieds auront le temps de devenir bleus et plus plissés que la peau d'un éléphant.

« Et si je rentre comme ça, la police va sûrement m'arrêter. Pire : tout le monde va me voir passer et les autres enfants vont se moquer de moi.

« 'Ah! ah! regarde le gars tout nu!' qu'ils vont dire. Et ça sera la pure vérité. Et puis, le chauffeur d'autobus ne voudra pas me laisser monter sans vêtements. Peut-être même qu'un automobiliste va s'arrêter pour me regarder et que ça va provoquer un super tamponnage de dix-sept voitures. Non, j'aime mieux mourir!

« J'ai bien envie de m'enfoncer dans l'eau. Si elle est polluée, je pourrais attraper une otite terrible et mourir au bout de deux semaines. Mais deux semaines... c'est encore trop long. Il faut que je trouve de quoi m'habiller en attendant. Je pourrais me faire un costume avec des feuilles, des cannettes de bière, pourquoi pas avec du varech? Mais on ne peut pas se promener en ville recouvert de varech! Le varech, ça pue... et les chiens vont se mettre à me renifler et à me suivre partout. »

Cette idée d'une bande de chiens à ses trousses fait sourire Simon. Mais l'heure n'est vraiment pas à la rigolade. Il est tout nu. Il faut donc faire quelque chose, et VITE!

Simon regarde une fois encore dans toutes les directions et court se réfugier dans un buisson touffu au bout de la plage. Malheureusement pour lui, c'est un buisson de framboises. Ouille, ouille, ouille!

Sans plus tarder, Simon se trouve une autre cachette dans un buisson moins piquant. Il examine ses égratignures et reprend son souffle. « Bon, se dit-il, il semble bien que je doive rentrer à la maison nu comme un ver! »

Après un moment de réflexion, Simon finit par sortir sa tête du buisson. Il ressemble à quelqu'un qui vient d'attraper la varicelle. «Maintenant, de quel côté dois-je aller?» se demande-t-il.

À travers les arbres, il peut voir filer les voitures sur la grand-route. Il se doute bien que l'expédition du retour ne sera pas facile. Prenant une grande respiration, il fonce jusqu'à un ponceau. Il se déplace tellement vite qu'un observateur aurait vu un éclair rose, couleur chair, rien de plus. Le voilà en sécurité… pour le moment.

Un énorme tuyau de drainage passe sous la route. D'habitude, Simon se tient loin de ces tuyaux car les parois sont recouvertes d'une affreuse chose gluante et puante et sont remplies de centaines de toiles d'araignées. Mais Simon sait bien qu'il n'a pas le choix. Il se laisse glisser dans la vase et les quenouilles qui entourent l'entrée du tuyau. Son geste dérange un carouge à épaulettes qui s'enfuit dans un grand fracas d'ailes.

Sur la route, juste au-dessus, on voit approcher une voiture décapotable remplie d'enfants. Un maillot de bain, attaché à l'antenne, s'agite dans le vent et des mains brandissent des serviettes de plage bariolées. Simon peut entendre s'entrechoquer les chaises de jardin en aluminium empilées dans le coffre arrière. Pour mieux se cacher, il s'enfonce encore plus dans la vase. C'est une drôle de sensation.

Il sort finalement de la boue et regarde ses jambes. Hum! on dirait un pantalon noir! Presque. Mais le pantalon noir se met à glisser peu à peu vers le bas. Dommage!

Quand on regarde le bout du tunnel, ça fait comme un gros O. Simon entre et crie : « Allô ! » L'écho répond : « Allô ! »

Un museau noir apparaît dans l'ouverture en face de lui. C'est un gros chien jaune qui patauge dans l'eau du ruisseau.

— Va-t'en. Va-t'en ! Sors d'ici, murmure Simon.

Le chien lève la tête, surpris. Il aboie, puis finit par s'en aller.

« Quel chien stupide ! » se dit Simon.

Simon examine les lieux. La circulation s'est calmée. Sur sa gauche et sur sa droite, la route s'étire en une longue courbe. Juste devant lui, le ruisseau presque asséché vire à angle droit contournant une butte. Sur la butte, on voit des toits rouges, beaucoup de toits alignés les uns près des autres. Simon se souvient que, lorsqu'il était petit, il y avait une ferme là-haut où l'on cultivait des bleuets.

Il se dit qu'autour des nouvelles maisons les jardins ne doivent pas être encore bien touffus et les endroits pour se cacher y seront rares. Il ne pourra donc s'arrêter que lorsqu'il aura atteint le terrain de golf de l'autre côté.

— O.K. Allons-y quand même, murmure-t-il.

Et le voilà parti à toutes jambes. Madame Archambault, qui prépare le repas dans sa cuisine,

voit soudain par la fenêtre un garçon tout nu sauter par-dessus la clôture et se faufiler derrière le garage.

— Lucien, crie-t-elle à son mari, viens voir. Le garçon dans le jardin. Il est complètement nu!

— Quoi?

— Pas besoin de crier pour ça, Lucien. Il est nu… tout simplement!

Madame Archambault sourit et continue de couper son brocoli.

— Un petit voisin aura fait un pari avec un copain, sans doute, dit-elle. Deux tours du pâté de maisons, tout nu, et tu gagnes un Pepsi! Juste pour rire. Il n'y a rien là, voyons!

Monsieur Archambault hoche la tête.

— Ah! les enfants! Quel comportement! C'est la télé! Je te jure que la télé leur met toutes sortes de sottises dans la tête. Vraiment! Courir dehors tout nu! Où allons-nous, grand Dieu?…

Simon ne sait pas qu'il a été vu. Il enjambe maintenant des massifs de fleurs et zigzague entre les jardins où poussent des tomates et du maïs. De temps en temps, il se repose derrière les garages, à l'abri des regards des petits enfants sur leurs tricycles et des grandes soeurs sur leurs vélos devant les maisons.

À un moment, Simon croit entendre une conversation tout près de lui. Il se hausse jusqu'à la fenêtre du garage. Une voix dit :

— Hé, écoute ! Tu as entendu?

Il retient son souffle. Quelqu'un à l'intérieur du garage l'a repéré, c'est évident !

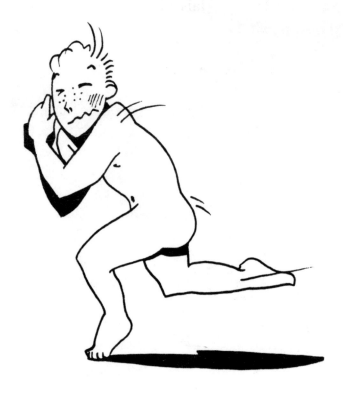

— On va aller voir ! dit le premier.

— Ouais ! Y a quelqu'un qui nous espionne, c'est sûr, dit un autre.

« Oh ! je suis foutu ! » pense Simon, désespéré.

À travers la vitre, il distingue trois garçons qui sortent du garage et tournent à gauche. Alors, il se sauve vers la droite. Mais il est déjà trop tard. Dans son dos, il entend :

— Hé! Hé! C'est un gars tout nu!

Simon n'ose pas regarder en arrière. Les cris et les rires le poursuivent encore plus vite que les trois garçons.

— Hé! Paulo! lance quelqu'un derrière lui, viens vite!

Les trois garçons sont résolument sur ses traces. Maintenant, il ne s'agit plus de courir pour se cacher, il faut leur échapper!

Dans la ruelle, le gravier blesse ses pieds nus mais il s'en fout. Il jette quand même un coup d'oeil par-dessus son épaule. Ils ne sont plus trois. Ils sont toute une bande. Toute une bande à le pourchasser!

Haletant, Simon tourne et s'engouffre dans un garage vide, dont la porte est restée ouverte. Il se réfugie sur le haut de la porte et se maintient en équilibre pour éviter qu'elle ne glisse vers le bas.

— Où est-il passé?

— Il a dû entrer ici.

— Je l'ai vu. Il a dû se cacher quelque part.

— Il a pu filer par la fenêtre ici.

— C'est ça!

— Allons-y ! Faut pas qu'il s'échappe !

Simon regarde par la fenêtre de la porte du garage. Les garçons sont partis. Il attend encore un moment et descend de son perchoir.

« S'ils avaient refermé la porte, pense-t-il, j'aurais été éjecté comme un timbre qui sort d'une distri-butrice ! »

Dans un coin, Simon repère une pile de vieux journaux qu'on a préparés pour la cueillette. Il se souvient d'avoir fait, à l'école, des chapeaux en papier journal. Il pourrait peut-être faire une *culotte* en papier! N'importe quoi pour ne pas se faire attraper tout nu.

Il entoure sa taille d'une page de journal. Il remarque les entêtes qui spécifient: Nouvelles locales, nationales et internationales. «Dans mon cas, il s'agit bien d'une nouvelle locale!» pense-t-il. Sa création ressemble plus à une jupe qu'à une culotte. Mais tant pis, en cas d'urgence, il ne faut pas faire le difficile! Simon se fabrique aussi un chapeau puis, après une pause à la porte pour vérifier les alentours, il s'élance dans la ruelle, traverse un autre jardin, en se dandinant comme un canard.

— Oh! Quelle petite robe originale tu as là, fillette! fait une vieille dame.

— Merci, madame, répond Simon de sa voix la plus polie tandis qu'il retient le papier du mieux qu'il peut sur sa hanche.

— Tu pourrais te faire aussi un chemisier de papier. Ce serait très joli! continue la vieille dame.

Simon entend un déchirement. Plus il tient le

papier serré, plus il se déchire ; et plus il se déchire, plus il le tient serré.

La vieille dame l'examine de haut en bas et s'écrie :

— Doux Jésus !

Mais Simon est déjà loin, tenant son chapeau à deux mains.

Il arrive enfin sur le terrain de golf ; il chiffonne ce qui reste du papier journal et le jette, dégoûté, dans une poubelle. Sa culotte n'a duré en tout et partout que CINQ minutes. Et au prix de quelles prouesses !

Simon traverse l'allée du golf et découvre un massif d'érables bien touffu. Il s'y glisse et s'assoit par terre pour réfléchir. Il repasse dans sa tête ses dernières rencontres : d'abord, le chien, puis les enfants et la vieille dame. Hum ! Pas de doute : circuler sans vêtements crée bien des émois.

Ce que Simon ne sait pas, c'est que les garçons qui l'ont aperçu plus tôt en costume d'Adam ont averti leurs parents et que la police a commencé son enquête. La vieille dame y est allée de son propre témoignage et le message est transmis à toutes les voitures de patrouille :

« Garçon tout nu. Âge : huit ou dix ans. Aperçu près du club de golf Chênevert se dirigeant vers l'est. »

De sa cachette, Simon peut observer les golfeurs qui vont et viennent sur le terrain, vêtus de bermudas et de chemises claires. Certains déambulent deux à deux tandis que d'autres se déplacent dans de curieuses voiturettes surmontées d'auvents rayés rose et blanc.

« Si seulement je pouvais monter à bord de l'un de ces engins? pense Simon ; je n'aurais qu'à le conduire jusqu'à la maison et personne ne me verrait. »

Le soir approche. Les ombres commencent à envahir la pelouse. Une voiturette de golfeurs passe tout près du bosquet. « Ah ! si seulement je savais conduire ! soupire Simon. Mais ça doit être facile, c'est monté sur trois roues comme un tricycle. »

Tout à coup, une balle de golf vient rouler tout près de lui. En suivant de l'oeil ses derniers bonds, Simon entrevoit la solution de son problème. Sans hésitation, il se lève et se précipite vers la balle blanche. Les golfeurs sont encore loin. Simon ramasse la balle et retourne dans le bosquet. Il coince la balle entre deux branches d'un arbre, juste à la lisière du terrain. Il imagine la surprise des golfeurs qui vont trouver leur balle perchée dans un arbre.

Une voiturette de golf s'approche avec deux hommes à bord. Ils arrêtent l'engin à quelques pas des arbres et se mettent à chercher la balle partout dans l'herbe. Pendant ce temps, Simon contourne le bosquet et s'élance vers la voiturette.

— Hé! Édouard! n'est-ce pas ta voiturette?

— Que veux-tu dire par là? C'est sûr que c'est ma voiturette, pauvre nono. Ça fait quinze trous qu'on se promène dedans!

— Eh bien! regarde-la, mon vieux. Elle s'en va toute seule!

— Quoi? Sacrebleu, Léo. Ma voiturette s'en va toute seule!

— C'est ce que je viens de te dire, Édouard.

Simon est tout heureux de constater que la voiturette n'a même pas de volant, juste une paire de guidons comme sa bicyclette. Une pédale pour la faire avancer et une autre pour freiner. Mais comme les deux hommes le poursuivent, avec leurs visages rouges de colère, Simon pense surtout à accélérer.

Bien sûr, il serait préférable d'arrêter et d'expliquer à ces messieurs qu'il ne vole pas leur engin. Il ne fait que l'emprunter. Après tout, il en a bien plus besoin qu'eux. S'ils étaient au courant de toute l'affaire, ils comprendraient. Mais, pour l'instant, ils brandissent leurs bâtons pour le menacer. Le mieux, c'est de filer sans perdre un instant.

— On m'a volé ma voiturette! crie le golfeur au gérant du club de golf.

— Sans blague!

— Ai-je l'air de blaguer? Appelez la police tout de suite!

Le gérant hausse les épaules et décroche le récepteur pendant que le golfeur martèle le comptoir nerveusement de sa main droite. Mais, avant même d'avoir composé le numéro, le gérant raccroche.

— Qu'est-ce qui vous prend? J'ai dit : APPELEZ LA POLICE!

— Vous m'avez appelé? fait un policier derrière l'homme.

— Ça alors, on peut dire que c'est du service!

— Nous cherchons un garçon tout nu en fuite près d'ici. Vous ne l'auriez pas vu? demande le policier.

— Non, répond l'un des golfeurs. Mais avez-vous

vu une voiturette de golf qui se déplaçait toute seule?

Tout à coup, la radio portative du policier émet le message d'un agent posté au centre-ville :

« Hé ! Durocher. Il y a une voiturette de golf qui descend la 7e Avenue. Elle fonce droit sur moi. Ouais ! une voiturette de golf avec un auvent rose et blanc. Et le conducteur... c'est un p'tit gars avec un chapeau pointu. Attends donc ! Il porte un chapeau en papier journal, ça c'est sûr, mais... rien d'autre. Il est flambant nu ! »

Aussitôt son message terminé, l'agent de police du centre-ville sort de sa voiture et crie :

— Hé ! toi, le jeune, viens ici !

Mais Simon ne va pas s'arrêter même pour un policier.

« C'est sûr qu'on va me mettre en prison pour m'être promené tout nu en public ! » pense-t-il avec inquiétude.

Simon entend la sirène de l'auto-patrouille et décide de prendre une petite rue transversale. Mais ne sachant pas très bien manoeuvrer la voiturette, celle-ci se met à osciller. Les roues frappent la chaîne du trottoir et la voiturette défonce la haie du jardin de madame Gauvin où plusieurs invités sont réunis pour un barbecue.

— Ah!

— Boum!

— Attention!

— Crac!

— Il va frap...

— Bong!

— Un maniaque!...

— Crachhhhh!...

Toujours roulant, Simon voit du coin de l'oeil les invités se sauver dans tous les sens. En faisant une autre manoeuvre, il emboutit la clôture dans un bruit assourdissant. Il essaie de se ressaisir tout en pensant : « Dommage d'interrompre une si belle réunion ! »

Pénétrant en trombe dans la cour voisine, il aperçoit une pleine cordée de linge en train de sécher. Si ce n'était des invités de madame Gauvin qui le poursuivent avec leurs cuisses de poulet à la main, il aurait pu s'arrêter et choisir un vêtement sur la corde. Une jolie culotte rayée, par exemple. Mais il ne réussit qu'à attraper au passage un pantalon qu'il tire de toutes ses forces vers lui tout en continuant d'appuyer très fort sur la pédale de l'accélérateur.

Le pantalon ne veut pas céder, et voilà que derrière la voiturette en marche, la corde à linge s'étire, s'étire, s'étire… comme la corde d'un arc. Au point que Simon est obligé de tout lâcher. Boiiiiinnnnnggggg !

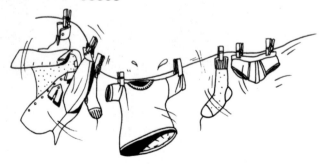

L'instant d'après, on voit tournoyer dans l'air des draps, des serviettes, des chaussettes, des soutiens-gorge, des torchons. Des essuie-mains et des caleçons pendent aux branches des arbres. La corniche de la maison d'en face est décorée d'un pyjama. Chez les Gauvin, un soutien-gorge rose plane un moment avant de se poser en douceur sur une poitrine de poulet, et un chapeau de soleil commence à prendre feu sur le barbecue.

À cet instant précis, Simon heurte l'autre clôture.

Craccchhhhh!

Le visage de madame Gauvin est d'un rouge brique. La dernière fois qu'elle a fait une colère du genre c'est le jour où, rentrant d'un séjour chez sa mère en Saskatchewan, elle a constaté que son mari avait oublié d'arroser les plantes durant deux semaines. Elles avaient toutes séché, sans espoir de survie.

— Exactement, monsieur le policier, dit-elle au téléphone. J'ai été attaquée par une voiturette de golf. Comment ça, *vous aussi*?

Incapable de s'arrêter, Simon imprime des traces

non prévues dans le ciment frais du nouveau trottoir que des ouvriers sont en train de terminer.

Ensuite, grâce à sa rencontre un peu soudaine au coin de la rue avec un livreur attentionné, une pizza bien garnie s'en va dans le ciel vers une destination inconnue.

Et quand Simon aperçoit soudain une voiture de police avec sa cerise qui clignote, qui pourrait le blâmer de dévier vers le parc municipal en rasant toute une allée de dahlias en fleurs?

Parvenu dans son quartier, Simon réussit à sauter en bas de la voiturette qui va s'écraser dans un buisson. Tenant fièrement son chapeau de papier en place sur sa tête, il dévale l'allée du parc jusqu'à la clôture qui borde son jardin. Il l'escalade sans peine. Le hurlement des sirènes des voitures de police se rapproche de plus en plus. On croirait à un feu de cinq alertes, mais Simon sait bien que tout ce tintamarre est pour lui.

— Est-ce toi, Simon, qui courais tout nu dans la cour? demande sa mère.

— Moi?

— Regarde-toi donc!

Simon se regarde.

— Pour l'amour du ciel, d'où sors-tu? Et où sont tes vêtements?

— Je les ai perdus, fait Simon, l'air penaud.

— Tu as perdu ton linge? Voyons, ça ne se perd pas comme ça des vêtements!

— Mais oui, comme tu vois, dit Simon en baissant la tête. La marée les a emportés. Alors, je suis rentré sans eux.

— Tu aurais pu m'appeler quand même. Je serais allée te chercher.

— D'une cabine téléphonique?

— Pourquoi pas?

— Mais elles sont toutes en verre!

Sa mère sourit.

— Ce n'est pas une raison.

— Je n'avais pas d'argent. De toute façon, je n'en avais pas envie. C'est un défi que je me suis lancé à moi-même. Pour voir si je pouvais me rendre à la maison... sans ennuis.

— Eh bien, t'en es-tu tiré sans ennuis?

— Je l'espère !

À travers les rideaux du salon, Simon voit passer une voiture de police qui file... sans s'arrêter.

Sa mère se penche vers lui et lui jette un regard intrigué.

— Qu'est-ce que tu veux dire par : « Je l'espère »?

— Ben... je suis rentré, non? Tu me vois?

— Oui, je te vois très bien... Je pense que tu ferais peut-être mieux d'aller te rhabiller.

L'auteur

Daniel Wood demeure et enseigne à Vancouver en Colombie Britannique. Il est l'auteur de cinq livres pour les jeunes. Il collabore aussi à plusieurs revues.

L'illustrateur

Zaven, diplômé de l'École nationale supérieure des Beaux-Arts de Paris, a enseigné le dessin à des jeunes en France. De plus, il a créé des dessins pour des fabricants de tissus et de tapis, peint des murales en plein air et a même illustré des planches de botanique.

Il aime bien dessiner des animaux et personnages à gros traits noirs. Il a mille projets en route. Aussi, il se promène entre Montréal, Paris, Rome, Rio et Hong-Kong.

La collection Libellule propose aux lecteurs de sept ans et plus de brefs récits et de petits romans palpitants écrits par des auteurs qui connaissent bien les jeunes. On y trouve des personnages attachants qui évoluent dans des situations inspirées de la vie quotidienne. Une typographie et une mise en page aérées augmentent le plaisir de lire des textes où l'humour et la joie de vivre sont toujours présents. Chaque ouvrage comporte une note biographique sur l'auteur et l'illustrateur.

Les petits symboles placés devant chaque titre indiquent le degré de difficulté de l'ouvrage.

🍃 texte moins long et plus facile.
🍃🍃 texte plus long et moins facile.

ACHEVÉ D'IMPRIMER
EN SEPTEMBRE 1988
SUR LES PRESSES DE
PAYETTE & SIMMS INC.
À SAINT-LAMBERT, P.Q.